**AMANDINE
BERNARDI**

PHOTOGRAPHIES
FABRICE VEIGAS

D1490088

DIS, ON MANGE QUOI CE SOIR ?

ŒUFS

35 RECETTES • 5 INGRÉDIENTS • 3 ÉTAPES MAXI

LAROUSSE

SOMMAIRE

VIANDE ET CHARCUTERIE

POISSON

VEGGIE

« DIS, ON MANGE QUOI CE SOIR ?

QUOI ?
Encore ?! »

Des recettes simples mais créatives,
prévues pour 4 affamés

SEMOULE
AUX LÉGUMES POÊLÉS
et œuf au plat

POUR **4 PERSONNES**   PRÉPARATION : **10 MIN**   CUISSON : **15 MIN**

Des œufs
et 4 ingrédients
maximum
pour faire
des merveilles !

4 œufs

200 g de semoule
de couscous

2 courgettes en dés

250 g de tomates cerises
coupées en deux

1 oignon rouge émincé

+ sel, poivre
et huile d'olive

1. Dans une sauteuse, faites revenir l'oignon 2 à 3 min avec
   un filet d'huile. Ajoutez les courgettes, les tomates, du sel,
   du poivre, puis faites cuire 10 min.

2. En parallèle, préparez la semoule en suivant les indications
   sur l'emballage et faites cuire les œufs au plat dans
   une grande poêle avec un filet d'huile.

3. Servez la semoule mélangée à la première préparation avec
   1 œuf au plat par assiette.

3 étapes de préparation
qui demandent peu de temps
et des gestes très basiques

• 58 •

Il est 19 heures, vous rentrez d'une longue journée de travail. À peine avez-vous le temps de poser vos affaires et de souffler que déjà retentit une petite voix : « Dis, on mange quoi ce soir ? » C'est vrai ça, on mange quoi ce soir ? Encore des pâtes au beurre ? Une poêlée surgelée ? Une pizza industrielle ? Que nenni ! Grâce à ce livre, découvrez comment éviter la panne d'inspiration culinaire sans pour autant vous lancer dans des recettes super compliquées et ultra-chronophages !

Des **œufs** alliés à **quelques ingrédients basiques** de votre frigo et de vos placards, **pas plus de 15 minutes** passées en cuisine, et vous voilà avec un superbe plat **gourmand** et **équilibré** pour régaler toute votre famille !

DÉSORMAIS, VOUS SAVEZ CE QU'ON MANGE CE SOIR !

Un petit plat appétissant pour régaler toute la tribu !

BAGELS
AU BACON
et au cheddar

POUR **4 PERSONNES**   PRÉPARATION : **10 MIN**   CUISSON : **10 MIN**

4 œufs

4 pains à bagels

4 tranches de bacon

4 tranches de cheddar

Quelques feuilles
de salade

+ sel, poivre
et huile d'olive

1. Dans une poêle, faites dorer le bacon sans ajout de matière grasse. Débarrassez sur du papier absorbant.

2. Dans la poêle, faites cuire les œufs au plat avec un filet d'huile. Assaisonnez.

3. Ouvrez les bagels et ajoutez successivement de la salade, du bacon, du fromage et 1 œuf. Enfournez pour 5 min à 180 °C afin de faire fondre le fromage.

WRAPS
AU POULET
et à l'œuf

POUR **4 PERSONNES**   PRÉPARATION : **10 MIN**   CUISSON : **10 MIN**

4 œufs

4 tortillas de blé
ou de maïs

200 g de filets de poulet
en dés

4 c. à soupe de mayonnaise

Quelques feuilles
de salade

+ sel, poivre
et huile d'olive

1. Faites cuire le poulet dans une poêle avec un filet d'huile.
Laissez refroidir.

2. En parallèle, faites durcir les œufs 10 min dans une casserole
d'eau bouillante, puis écalez-les et laissez-les refroidir.

3. Étalez 1 c. à soupe de mayonnaise sur chaque tortilla, puis
déposez de la salade. Répartissez le poulet et les œufs durs
en rondelles. Assaisonnez. Roulez chaque tortilla sur elle-même
et dégustez.

RAMEN AU POULET,
CHAMPIGNONS
et œuf mollet

POUR **2 PERSONNES**   PRÉPARATION : **10 MIN**   CUISSON : **15 MIN**

2 œufs

120 g de ramen
(nouilles japonaises)

2 filets de poulet
émincés

150 g de champignons
émincés (des shiitakés,
de préférence)

4 c. à soupe de sauce soja
salée

+ huile neutre

1. Faites cuire les œufs 5 min dans une casserole d'eau bouillante.
Écalez-les.

2. Dans une casserole, faites dorer le poulet dans un filet d'huile. Ajoutez
les champignons et poursuivez la cuisson 2 à 3 min à feu moyen.

3. Versez 50 cl d'eau et la sauce soja. Portez à ébullition, ajoutez
les nouilles et poursuivez la cuisson le temps indiqué sur l'emballage.
Servez dans des bols en ajoutant 1 œuf mollet coupé en deux.

ŒUFS COCOTTE
AUX LENTILLES CORAIL
et au bacon

POUR **4 PERSONNES**   PRÉPARATION : **10 MIN**   CUISSON : **25 MIN**

4 œufs

200 g de lentilles corail

20 cl de lait de coco

4 tranches de bacon
émincées

1 c. à café de curcuma

+ sel, poivre

1. Versez les lentilles dans une casserole, ajoutez le lait
de coco, 10 cl d'eau, le curcuma, du sel et du poivre. Portez
à ébullition, puis laissez cuire 15 min à feu doux, en remuant
de temps en temps.

2. Répartissez les lentilles dans des petites cocottes, faites
un creux au centre et cassez-y 1 œuf. Salez, poivrez
et ajoutez le bacon.

3. Enfournez pour 10 min au bain-marie à 180 °C. Servez avec
une salade.

OMELETTE
COMPLÈTE

POUR **4 PERSONNES**   PRÉPARATION : **15 MIN**   CUISSON : **40 MIN**

8 œufs

600 g de pommes de terre
en dés

150 g de lardons
fumés

150 g de champignons

80 g de fromage râpé

+ sel, poivre

1. Faites cuire les pommes de terre 20 min dans de l'eau bouillante salée.

2. Dans une grande sauteuse, faites revenir les lardons 3 ou 4 min sans matière grasse. Ajoutez les pommes de terre et les champignons, puis faites dorer à feu moyen-vif.

3. Battez les œufs en omelette, ajoutez le fromage, du sel et du poivre. Versez dans la sauteuse et faites cuire 15 min à feu doux.

Conseil : vous pouvez remplacer les champignons par un demi-poivron émincé.

OMELETTE ROULÉE
FAÇON
tartiflette

POUR **4 PERSONNES** PRÉPARATION : **15 MIN** CUISSON : **20 MIN**

5 œufs

600 g de pommes de terre râpées

2 oignons râpés

4 tranches de jambon

200 g de reblochon en fines tranches

+ sel, poivre

1. Dans un saladier, battez les œufs en omelette, puis mélangez-les avec les pommes de terre et les oignons, du sel et du poivre.

2. Étalez la préparation en forme de rectangle sur une plaque recouverte de papier sulfurisé. Enfournez pour 15 min à 180 °C.

3. Déposez les tranches de jambon et de reblochon sur l'omelette, puis roulez-la sur elle-même. Enfournez de nouveau pour 5 min afin de faire fondre le fromage. Servez avec une salade.

TORTILLA
AU CHORIZO

POUR **4 PERSONNES** PRÉPARATION : **I5 MIN** CUISSON : **35 MIN ENVIRON**

6 œufs

700 g de pommes de terre
en fines rondelles

100 g de chorizo
en fines tranches

1 oignon
finement émincé

15 cl d'huile d'olive

+ sel, poivre

1. Dans une grande sauteuse, faites cuire les pommes de terre 5 min avec
l'huile. Ajoutez l'oignon et poursuivez la cuisson 20 min, en remuant de temps
en temps. Retirez l'excédent d'huile de cuisson.

2. Battez les œufs en omelette avec du sel et du poivre. Ajoutez les pommes
de terre, le chorizo et mélangez.

3. Versez dans la sauteuse et faites cuire 8 min de chaque côté afin que
la tortilla soit bien dorée.

Astuce : pour retourner la tortilla, placez une assiette à l'envers sur l'omelette et retournez
la poêle en maintenant l'assiette. Il ne reste ensuite qu'à faire glisser l'omelette dans la poêle.

OMELETTE
FAÇON PIZZA

POUR **2 PERSONNES** PRÉPARATION : **10 MIN** CUISSON : **15 MIN**

5 œufs

10 cl de coulis de tomates

50 g de gruyère râpé

40 g de chorizo
en fines tranches

Quelques olives

+ sel, poivre
et huile d'olive

1. Battez les œufs avec du sel et du poivre, puis faites-les cuire dans une poêle avec un filet d'huile (l'omelette doit rester un peu baveuse).

2. Déposez l'omelette sur une plaque recouverte de papier sulfurisé, puis étalez le coulis de tomates dessus jusqu'à 5 mm du bord. Répartissez le fromage, le chorizo et les olives. Enfournez pour 10 min à 180 °C.

GALETTES
AU JAMBON,
œuf et fromage

POUR **2 PERSONNES**   PRÉPARATION : **10 MIN**   CUISSON : **10 MIN**

2 œufs

2 galettes de sarrasin

2 tranches de jambon

40 g de gruyère râpé

+ sel, poivre
et huile d'olive

1. Déposez 1 galette dans une poêle avec un filet d'huile. Ajoutez 1 tranche de jambon, 20 g de fromage, cassez 1 œuf dessus, salez, poivrez et repliez la galette.

2. Couvrez et laissez cuire jusqu'à ce que l'œuf soit cuit. Procédez de même avec l'autre galette. Servez avec une salade.

POLENTA CRÉMEUSE
AUX CHAMPIGNONS
et œuf mollet

POUR **4 PERSONNES**   PRÉPARATION : **10 MIN**   CUISSON : **10 MIN**

4 œufs

200 g de polenta express

250 g de champignons de Paris émincés

100 g de bacon émincé

2 c. à soupe de lait

+ sel, poivre et huile d'olive

1. Faites cuire la polenta en suivant les indications sur l'emballage.

2. Dans une sauteuse, faites revenir les champignons 5 min avec un filet d'huile. Ajoutez le bacon, du sel, du poivre et poursuivez la cuisson 5 min. En parallèle, faites cuire les œufs 5 min dans de l'eau bouillante. Écalez-les.

3. Ajoutez le lait à la polenta cuite et mélangez. Servez la polenta avec les champignons au bacon et 1 œuf mollet par assiette.

QUICHE
LORRAINE

POUR **4 PERSONNES**   PRÉPARATION : **10 MIN**   CUISSON : **35 MIN**

3 œufs entiers
+ 1 jaune

1 pâte brisée

200 g de lardons
fumés

30 cl de crème fraîche
entière

+ sel, poivre

1. Faites revenir les lardons 5 min dans une poêle. Débarrassez
sur du papier absorbant.

2. Fouettez les œufs entiers et le jaune, puis ajoutez la crème,
salez légèrement et poivrez.

3. Déroulez la pâte dans un moule à tarte et répartissez
les lardons. Versez la préparation précédente et enfournez
pour 30 min à 180 °C.

TARTELETTES
À L'ŒUF
et au jambon cru

POUR **6 PERSONNES**   PRÉPARATION : **10 MIN**   CUISSON : **20 MIN**

6 œufs

1 pâte feuilletée
coupée en 6 carrés

4 tranches de jambon cru
émincées

100 g de fromage frais
(type St Môret®)

1 poignée de roquette

+ sel, poivre

1. Étalez le fromage frais sur chaque carré de pâte sans aller
jusqu'aux bords, puis relevez un peu les bords pour que
les œufs ne puissent pas s'échapper.

2. Répartissez le jambon cru, puis cassez 1 œuf sur chaque
tartelette, salez et poivrez.

3. Enfournez pour 20 min à 180 °C. Servez avec la roquette.

QUICHE SANS PÂTE
POULET
et courgettes

POUR **4 PERSONNES**   PRÉPARATION : **10 MIN**   CUISSON : **30 À 35 MIN**

3 œufs

150 g de filets de poulet
en dés

300 g de courgettes
râpées

25 cl de lait

60 g de farine

+ sel, poivre
et huile d'olive

1. Faites dorer le poulet dans une poêle avec un filet d'huile.

2. Battez les œufs en omelette, puis ajoutez le lait. Incorporez vivement la farine au fouet, puis les courgettes, le poulet, du sel et du poivre.

3. Versez la préparation dans un moule à tarte (Ø 24 cm) et enfournez pour 25 à 30 min à 200 °C.

NIDS D'ŒUFS
EN PAIN DE MIE

POUR **4 PERSONNES**   PRÉPARATION : **10 MIN**   CUISSON : **15 MIN**

8 petits œufs

8 tranches
de pain de mie

8 tranches de bacon
ou du jambon

1 c. à soupe de persil ciselé

8 tranches de fromage
de chèvre

+ sel, poivre

1. Aplatissez rapidement les tranches de pain de mie à l'aide
d'un rouleau à pâtisserie et placez-les dans un moule
à muffins ou dans des ramequins.

2. Dans chaque nid, ajoutez 1 tranche de bacon ou du jambon,
1 tranche de fromage de chèvre, puis cassez-y 1 œuf. Salez,
poivrez et parsemez de persil.

3. Enfournez pour 15 min à 180 °C. Servez avec une salade
ou des crudités.

POMMES DE TERRE
FARCIES
façon omelette

POUR **4 PERSONNES**   PRÉPARATION : **15 MIN**   CUISSON : **45 MIN**

4 œufs

4 grosses
pommes de terre

2 tranches de jambon
émincées

4 c. à soupe de fromage
râpé

1 c. à soupe de persil
ciselé

+ sel, poivre

1. Piquez les pommes de terre et enveloppez-les dans une
feuille d'aluminium. Enfournez pour 30 min à 220 °C.

2. Battez les œufs en omelette, ajoutez le jambon, le persil,
du sel et du poivre.

3. Creusez les pommes de terre cuites sans fendre la
peau. Ajoutez la chair des pommes de terre prélevée à la
préparation précédente. Farcissez-en les pommes de terre,
parsemez de fromage et enfournez pour 15 min à 180 °C.

GROSSES TARTINES
À L'AVOCAT,
saumon fumé et œuf

POUR **4 PERSONNES**   PRÉPARATION : **10 MIN**   CUISSON : **5 MIN**

4 œufs

4 grandes tranches de pain
de campagne

3 avocats
bien mûrs

4 tranches de saumon
fumé

Quelques feuilles
de roquette

+ sel, poivre

1. Faites cuire les œufs 5 min dans une casserole d'eau
bouillante, puis plongez-les aussitôt dans de l'eau froide
pour arrêter la cuisson. Laissez-les refroidir et écalez-les.

2. Écrasez grossièrement les avocats, salez et poivrez,
puis étalez la préparation sur les tartines.

3. Ajoutez 1 tranche de saumon fumé sur chacune, ainsi
qu'un peu de roquette et 1 œuf mollet coupé en deux.

SALADE DE LENTILLES
À L'AVOCAT,
saumon et œuf mollet

POUR **4 PERSONNES**   PRÉPARATION : **15 MIN**   CUISSON : **25 MIN**

4 œufs

2 avocats en dés

200 g de lentilles vertes

4 tranches de saumon
fumé émincées

½ citron

+ sel, poivre

1. Versez les lentilles dans une casserole d'eau froide
non salée. Faites-les cuire 20 à 25 min après l'ébullition.
Égouttez-les et laissez refroidir.

2. En parallèle, faites cuire les œufs 5 min dans une casserole
d'eau bouillante. Écalez-les.

3. Dans un saladier, mélangez les lentilles avec les avocats,
le saumon fumé, du sel, du poivre et le jus du demi-citron.
Servez en ajoutant 1 œuf mollet par assiette.

TOMATES FARCIES
AU THON
et à l'œuf

POUR **4 PERSONNES**   PRÉPARATION : **10 MIN**   CUISSON : **15 MIN**

4 petits œufs

4 grosses tomates

1 petite boîte de thon
au naturel (100 g net)

1 oignon
finement émincé

1 c. à soupe de persil
ciselé

+ sel, poivre

1. Coupez le chapeau des tomates, videz la chair à l'aide
d'une cuillère et versez-la dans un saladier. Ajoutez le thon,
l'oignon, le persil, du sel, du poivre et mélangez.

2. Garnissez les tomates avec la préparation en tassant
un peu, puis ajoutez 1 œuf par tomate.

3. Enfournez pour 15 min et faites cuire dans un bain-marie
à 180 °C.

Astuce : servez parsemé de persil et accompagné de riz.

AVOCATS FARCIS
À L'ŒUF
et à la truite fumée

POUR **4 PERSONNES**   PRÉPARATION : **10 MIN**   CUISSON : **15 MIN**

4 petits œufs

2 avocats

2 tranches de truite fumée
émincées

1 c. à soupe d'aneth
ciselé

+ sel, poivre

1. Coupez les avocats en deux, retirez le noyau et déposez-les sur une plaque recouverte de papier sulfurisé.

2. Cassez les œufs dans le creux des avocats, salez et poivrez. Enfournez pour 15 min à 180 °C ; le blanc doit être bien cuit et le jaune encore coulant.

3. Ajoutez la truite fumée et l'aneth sur les avocats, puis servez avec une salade.

BRICKS
AU THON
et à l'œuf

POUR **4 PERSONNES**   PRÉPARATION : **15 MIN**   CUISSON : **10 MIN**

3 œufs durs

10 feuilles de brick

280 g de thon
au naturel

1 oignon émincé

2 c. à soupe de persil ciselé

+ sel, poivre
et huile de cuisson

1. Mixez grossièrement les œufs, le thon, l'oignon et le persil. Assaisonnez.

2. Coupez les feuilles de brick en deux et pliez-les pour obtenir des bandes rectangulaires. Déposez de la farce à une extrémité de chaque bande et pliez-les de façon à obtenir des triangles.

3. Faites dorer les bricks sur toutes les faces dans une poêle avec un fond d'huile. Débarrassez sur du papier absorbant et servez avec une salade.

SALADE
DE POMMES DE TERRE,
betterave et œufs

POUR **4 PERSONNES**   PRÉPARATION : **10 MIN**   CUISSON : **20 MIN**

4 œufs

500 g de pommes de terre grenaille

2 betteraves rouges cuites en dés

15 radis roses en fines tranches

1 c. à soupe de vinaigre balsamique

+ sel, poivre et huile d'olive

1. Brossez les pommes de terre. Faites-les cuire 20 min dans une casserole d'eau sans les peler. Laissez-les refroidir. En parallèle, faites cuire les œufs 10 min dans de l'eau bouillante. Écalez-les et laissez-les refroidir.

2. Coupez les pommes de terre en rondelles, et les œufs en quartiers. Mélangez-les avec betteraves et les radis.

3. Préparez la vinaigrette avec 3 c. à soupe d'huile, le vinaigre, du sel et du poivre. Répartissez la salade dans les assiettes et assaisonnez de vinaigrette.

RIZ PILAF
AUX CAROTTES,
œuf et curry

POUR **4 PERSONNES**   PRÉPARATION : **10 MIN**   CUISSON : **25 MIN**

4 œufs

250 g de riz

4 carottes en dés

1 oignon émincé

1 c. à soupe rase
de curry

+ sel et huile d'olive

1. Dans une grande sauteuse, faites revenir l'oignon 2 à 3 min avec un filet d'huile. Ajoutez les carottes et poursuivez la cuisson 2 min.

2. Ajoutez le riz, le curry, du sel et 60 cl d'eau. Mélangez, puis faites cuire 15 min à couvert.

3. Cassez les œufs sur le riz et poursuivez la cuisson jusqu'à ce que les blancs soient pris.

Conseil : servez parsemé de coriandre.

NOUILLES SAUTÉES
AUX LÉGUMES
et à l'œuf

POUR **4 PERSONNES**   PRÉPARATION : **10 MIN**   CUISSON : **10 MIN**

4 œufs

300 g de nouilles de blé

2 courgettes en fins bâtonnets

2 poivrons rouges en fins bâtonnets

4 c. à soupe de sauce soja salée

+ huile neutre

1. Dans un wok ou une sauteuse, faites cuire les légumes 4 à 5 min à feu vif dans un filet d'huile. En parallèle, faites cuire les nouilles en suivant les indications sur l'emballage. Égouttez-les.

2. Poussez les légumes sur un bord du wok et ajoutez les œufs battus. Lorsqu'ils sont presque cuits, brouillez-les à la cuillère en bois.

3. Versez la sauce soja, mélangez, puis ajoutez les nouilles. Enrobez-les de sauce et poursuivez la cuisson 2 min. Servez aussitôt.

PURÉE
DE PATATES DOUCES,
girolles et œuf poché

POUR **4 PERSONNES**   PRÉPARATION : **15 MIN**   CUISSON : **25 MIN**

4 œufs

800 g de patates douces
en dés

300 g de girolles

10 cl de lait chaud

2 gousses d'ail hachées

+ sel, poivre
et huile d'olive

1. Faites cuire les patates douces 20 min dans de l'eau bouillante
salée. Égouttez-les et réduisez-les en purée en versant le lait.
Assaisonnez.

2. En parallèle, faites revenir les girolles 5 min dans une poêle
avec un filet d'huile. Retirez l'excédent d'eau, ajoutez l'ail, du sel,
du poivre et poursuivez la cuisson 3 à 4 min.

3. Faites pocher chaque œuf 3 min dans de l'eau bouillante vinaigrée.
Servez la purée avec les girolles et 1 œuf poché par assiette.
Vous pouvez parsemer le persil.

POIREAUX
À LA CRÈME
et à l'œuf

POUR **4 PERSONNES**   PRÉPARATION : **10 MIN**   CUISSON : **25 MIN**

4 œufs

4 blancs de poireaux émincés

2 échalotes émincées

20 g de beurre

20 cl de crème liquide

+ sel, poivre

1. Dans une grande sauteuse, faites revenir les échalotes 2 à 3 min avec le beurre. Ajoutez les poireaux et poursuivez la cuisson 5 min à couvert.

2. Ajoutez la crème, du sel, du poivre et poursuivez la cuisson 10 min sans couvrir.

3. Cassez les œufs sur les poireaux et poursuivez la cuisson jusqu'à ce que les blancs soient pris.

CHAKCHOUKA

POUR **4 PERSONNES**   PRÉPARATION : **10 MIN**   CUISSON : **20 MIN**

4 œufs

400 g de tomates
concassées en boîte

2 poivrons rouges
finement émincés

1 oignon
émincé

1 c. à café de paprika
ou de piment en poudre

+ sel, poivre
et huile d'olive

1. Dans une grande sauteuse, faites revenir l'oignon 2 à 3 min avec un filet d'huile. Ajoutez les poivrons et poursuivez la cuisson 5 min.

2. Ajoutez les tomates, le paprika ou le piment, du sel et du poivre. Portez à petits bouillons, baissez le feu et laissez frémir au moins 5 min.

3. Faites 4 creux dans la préparation et cassez-y les œufs. Poursuivez la cuisson jusqu'à ce que les blancs soient pris. Vous pouvez parsemer de persil au moment de servir.

SEMOULE
AUX LÉGUMES POÊLÉS
et œuf au plat

POUR **4 PERSONNES**   PRÉPARATION : **10 MIN**   CUISSON : **15 MIN**

4 œufs

200 g de semoule
de couscous

2 courgettes en dés

250 g de tomates cerises
coupées en deux

1 oignon rouge émincé

+ sel, poivre
et huile d'olive

1. Dans une sauteuse, faites revenir l'oignon 2 à 3 min avec
un filet d'huile. Ajoutez les courgettes, les tomates, du sel,
du poivre, puis faites cuire 10 min.

2. En parallèle, préparez la semoule en suivant les indications
sur l'emballage et faites cuire les œufs au plat dans
une grande poêle avec un filet d'huile.

3. Servez la semoule mélangée à la première préparation avec
1 œuf au plat par assiette.

BROUILLADE
À LA FETA
et aux tomates

POUR **4 PERSONNES**   PRÉPARATION : **5 MIN**   CUISSON : **10 MIN**

8 œufs

80 g de feta

4 grosses tomates pelées
et concassées

2 gousses d'ail hachées

1 c. à café d'herbes
de Provence

+ sel, poivre
et huile d'olive

1. Dans une grande sauteuse, faites revenir l'ail et les tomates
2 à 3 min avec un filet d'huile.

2. Battez les œufs rapidement, salez et poivrez. Versez dans
la sauteuse ainsi que la feta émiettée.

3. Faites cuire à feu doux, en remuant sans arrêt jusqu'à
ce que les œufs soient bien pris. Servez parsemé d'herbes
de Provence ou de persil.

ŒUFS
À LA FLORENTINE

POUR **4 PERSONNES**   PRÉPARATION : **10 MIN**   CUISSON : **15 MIN**

4 œufs entiers
+ 1 jaune

1 kg d'épinards frais
(ou surgelés) émincés

25 g de fécule de maïs

40 cl de lait entier froid

60 g de fromage râpé

+ sel, poivre
et huile d'olive

1. Dans une grande sauteuse, faites tomber les épinards avec
un filet d'huile. Assaisonnez. Faites cuire les œufs 5 min dans
une casserole d'eau bouillante. Écalez-les.

2. Délayez la fécule dans le lait, puis faites épaissir sur le feu.
Ajoutez le fromage, le jaune d'œuf, du sel, du poivre et mélangez.

3. Dans un plat à gratin ou des petites cocottes, déposez les
épinards, les œufs mollets et nappez de sauce. Faites gratiner
5 à 10 min sous le gril du four à 200 °C.

FLANS
DE LÉGUMES
à l'indienne

POUR **4 PERSONNES**   PRÉPARATION : **15 MIN**   CUISSON : **30 MIN**

3 œufs

120 g de petits pois écossés

2 carottes en dés

20 cl de lait de coco

2 c. à café de curry

+ sel, poivre

1. Faites cuire les petits pois et les carottes 10 min dans de l'eau bouillante salée.

2. Battez les œufs en omelette, ajoutez le lait de coco, le curry, du sel, du poivre et mélangez.

3. Répartissez les légumes dans des moules à muffins, puis versez la préparation dessus. Enfournez pour 20 min à 180 °C en surveillant la cuisson.

GRATIN
D'ŒUFS DURS
à la sauce tomate

POUR **4 PERSONNES**   PRÉPARATION : **10 MIN**   CUISSON : **20 MIN**

8 œufs

500 g de coulis de tomates

2 boules de mozzarella
en tranches

2 gousses d'ail
hachées

2 c. à soupe de basilic
haché

+ sel, poivre

1. Faites cuire les œufs 10 min dans une grande casserole d'eau
bouillante. Laissez-les refroidir, écalez-les et coupez-les en deux.

2. Mélangez le coulis de tomates avec l'ail et le basilic, salez
et poivrez.

3. Versez un peu de sauce dans un plat à gratin, placez les œufs,
le jaune vers le haut, recouvrez du reste de sauce et répartissez
la mozzarella. Faites gratiner 10 min sous le gril à 200 °C.

CLAFOUTIS
AU CHÈVRE

et aux tomates cerises

POUR **4 PERSONNES** PRÉPARATION : **10 MIN** CUISSON : **25 MIN**

4 œufs

200 g de fromage
de chèvre frais

20 tomates cerises

2 c. à soupe
de fécule de maïs

30 cl de lait

+ sel, poivre

1. Dans un saladier, fouettez les œufs avec la fécule et le lait.
   Ajoutez le fromage de chèvre, du sel, du poivre et mélangez.

2. Versez la préparation dans des ramequins, puis répartissez-y
   les tomates cerises. Enfournez pour 20 à 25 min à 180 °C.

COROLLES DE BRICK
AUX LÉGUMES
et œufs

POUR **4 PERSONNES**   PRÉPARATION : **15 MIN**   CUISSON : **25 MIN**

8 petits œufs

12 feuilles de brick
rectangulaires

2 tomates
concassées

1 courgette en dés

1 oignon émincé

+ sel, poivre
et huile d'olive

1. Dans une sauteuse, faites revenir l'oignon 2 à 3 min avec un filet d'huile. Ajoutez les tomates et la courgette, du sel, du poivre, puis poursuivez la cuisson 10 min à couvert.

2. Superposez les feuilles de brick 6 par 6, puis découpez 4 carrés dans chaque rectangle de 6 feuilles.

3. Placez les carrés de brick dans un moule à muffins. Répartissez la première préparation et cassez 1 œuf dans chaque corolle. Enfournez pour 15 min à 180 °C. Servez accompagné d'une salade.

FRITTATA
AUX POIVRONS

POUR **2 PERSONNES**   PRÉPARATION : **10 MIN**   CUISSON : **35 MIN**

6 œufs

2 poivrons émincés
(rouge et vert)

1 oignon rouge

5 cl de lait

1 c. à café de paprika

+ sel, poivre
et huile d'olive

1. Dans une sauteuse, faites revenir l'oignon 2 à 3 min avec
un filet d'huile. Ajoutez les poivrons et faites cuire 10 min
à feu doux.

2. Dans un saladier, battez les œufs en omelette. Ajoutez
tous les ingrédients, salez, poivrez et mélangez.

3. Versez dans un plat à gratin et enfournez pour 20 min
à 200 °C. Dégustez chaud ou froid avec une salade
ou des crudités.

GRATIN
DE LÉGUMES
à l'œuf

POUR **4 PERSONNES** PRÉPARATION : **10 MIN** CUISSON : **30 MIN**

5 œufs

3 tomates concassées

2 courgettes en dés

1 poivron en dés

5 cl de lait

+ sel, poivre
et huile d'olive

1. Dans une grande sauteuse, faites revenir les légumes
2 à 3 min à feu vif avec un filet d'huile. Réduisez le feu
et laissez cuire 10 min.

2. Dans un saladier, fouettez 1 œuf avec le lait, ajoutez
les légumes, mélangez et versez dans un plat à gratin
ou des petites cocottes.

3. Faites 4 creux et cassez-y les œufs restants. Salez, poivrez
et enfournez pour 15 min à 200 °C.

INDEX

TABLE DES ÉQUIVALENCES FRANCE-CANADA

POIDS

55 g	2 onces	200 g	7 onces	500 g	17 onces
100 g	3 onces	250 g	9 onces	750 g	26 onces
150 g	5 onces	300 g	10 onces	1 kg	35 onces

Ces équivalences permettent de calculer le poids à quelques grammes près
(en réalité, 1 once = 28 g).

CAPACITÉS

25 cl	1 tasse	75 cl	3 tasses
50 cl	2 tasses	1 l	4 tasses

Pour faciliter la mesure des capacités, une tasse équivaut ici à 25 cl
(en réalité, 1 tasse = 8 onces = 23 cl).

DIS, ON MANGE QUOI CE SOIR ?

DANS LA MÊME COLLECTION

35 RECETTES • 5 INGRÉDIENTS • 3 ÉTAPES MAXI

RIZ

STEAK HACHÉ

POULET

PATATES

PÂTES

Direction de la publication : Isabelle Jeuge-Maynart et Ghislaine Stora
Direction éditoriale : Émilie Franc
Direction artistique : Géraldine Lamy
Édition : Ewa Lochet assistée de Julie Bez
Conception graphique : Valentine Antenni
Couverture : Claire Simonet
Mise en pages : Émilie Laudrin
Fabrication : Émilie Latour
Stylisme des photographies : Delphine Lebrun

© Larousse 2021
ISBN : 978-2-03-600971-4

Photogravure Chromostyle
Imprimé en Espagne par Macrolibros

Dépôt légal : août 2021
328371/01 - 11046986 - juin 2021

PAPIER À BASE DE
FIBRES CERTIFIÉES

LAROUSSE s'engage pour
l'environnement en réduisant
l'empreinte carbone de ses livres.
Celle de cet exemplaire est de :
700 g éq. CO₂
Rendez-vous sur
www.larousse-durable.fr